Título original: *Celestino e la scimmietta*

© Febe Sillani
© Edizioni EL, 1995 (obra original)
© Hermes Editora General S. A. - Almadraba Editorial, 2009
www.almadrabaeditorial.com
© Clara Vallès, por la traducción del italiano

Impreso el mes de febrero de 2009

ISBN: 978-84-9270-240-4
Depósito legal: B-10.662-2009
Printed in Spain

CELESTINO Y EL MONO

Febe Sillani

Almadraba

INFANTIL JUVENIL

CELESTINO DA UNA VUELTA
POR LA JUNGLA
CON SUS AMIGOS.

«MIRAD», DICE CELESTINO.

DETRÁS DE UN ÁRBOL,
EL MONO PEPE LLORA
DESCONSOLADAMENTE.

PEPE TIENE MIEDO
DE TREPAR A LOS
ÁRBOLES COMO HACEN
LOS DEMÁS MONOS.

PEPE LLORA
CADA VEZ MÁS FUERTE.

«NO TE PREOCUPES,
NOSOTROS TE AYUDAREMOS»,
DICE EL TIGRE ENRIQUE.

LA JIRAFA RITA
PREPARA UN COLUMPIO
CON UNAS LIANAS.

PEPE HA DEJADO
DE LLORAR.

«¡SOCORRO! BAJADME DE AQUÍ!», GRITA PEPE, ASUSTADO.

¡EL HIPOPÓTAMO NICOLÁS LE HA EMPUJADO DEMASIADO FUERTE!

CELESTINO DEJA A PEPE
EN UNA RAMA BAJA.

«ASÍ TE ACOSTUMBRARÁS
A ESTAR SUBIDO A LOS
ÁRBOLES», LE DICE.

DE PRONTO, UN LEÓN SALE
DE UN MATORRAL.

«¡CORRED!»,
GRITAN TODOS.

AL LEÓN LE GUSTA MUCHO
ASUSTAR A LOS DEMÁS
ANIMALES.

EL HIPOPÓTAMO NICOLÁS
DICE: «¡HABRÍA SIDO
MEJOR QUEDARSE
EN CASA!».

¿QUÉ ESTÁ PASANDO?

PEPE TIRA COCOS
A LA CABEZA DEL LEÓN
DESDE LO ALTO
DE UNA PALMERA.

EL LEÓN HUYE CORRIENDO
CON UN GRAN DOLOR
DE CABEZA.

TODOS GRITAN:
«¡BRAVO, PEPE!».

A PEPE YA NO LE DA MIEDO
TREPAR POR LOS ÁRBOLES.

SALTA FELIZ
DE UNA RAMA A OTRA
Y SALUDA A SUS AMIGOS.

...¡Y AHORA, A JUGAR!

CELESTINO, PEPE, ENRIQUE
Y NICOLÁS SE DIVIERTEN
CON EL JUEGO DEL COCO.

GANA QUIEN LE HACE DAR MÁS
VUELTAS AL COCO. CUÉNTALAS
Y SABRÁS QUIÉN HA GANADO.

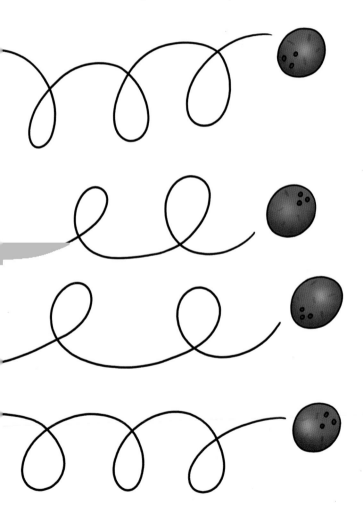

BUSCA LAS SEIS DIFERENCIAS QUE

HAY ENTRE LOS DOS DIBUJOS.

LA COMIDA FAVORITA
DEL MONO PEPE.

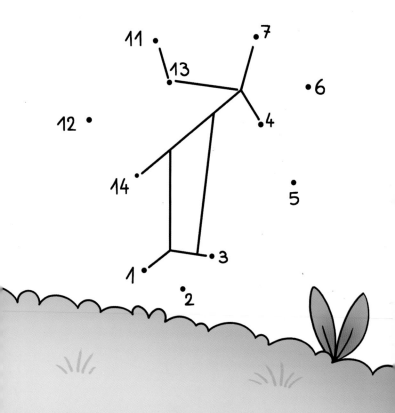

PEPE SE HA ESCONDIDO
EN LO ALTO
DE LA PALMERA.
AYUDA A CELESTINO
A ENCONTRARLO.

MIS PRIMERAS PÁGINAS

PUEDES SEGUIR
JUGANDO EN LA WEB
www.misprimeraspaginas.com

ENTRA Y DESCARGA
LA **FICHA DE LECTURA** Y MÁS
PROPUESTAS DE ACTIVIDADES.

7